JACK ET LE TEMPS PERDU

Catalogage avant publication de Bibliothèque et Archives nationales du Québec
et Bibliothèque et Archives Canada

Lapointe, Stéphanie, 1984-, auteur

Jack et le temps perdu / Stéphanie Lapointe ; illustrations, Delphie Côté-Lacroix

(Quai n° 5)
Roman graphique.
Publié en formats imprimé(s) et électronique(s).

ISBN 978-2-89772-134-3
ISBN 978-2-89772-135-0 (PDF)

I. Côté-Lacroix, Delphie, illustrateur. II. Titre. III. Collection : Quai n° 5.
PS8623.A735J32 2018   C843'.6   C2018-941380-8
PS9623.A735J32 2018   C2018-941381-6

Les Éditions XYZ bénéficient du soutien financier du gouvernement du Québec par l'entremise du programme de crédit d'impôt pour l'édition de livres et de la Société de développement des entreprises cultu-
relles du Québec (SODEC). L'éditeur remercie également le Conseil des arts du Canada de l'aide accordée
à son programme de publication.

Financé par le gouvernement du Canada | Canadä

Édition : Tristan Malavoy-Racine
Illustrations : Delphie Côté-Lacroix
Révision linguistique : Sophie Marcotte
Correction d'épreuves : Christine Ouin

Copyright © 2018, Les Éditions XYZ inc.

ISBN version imprimée : 978-2-89772-134-3
ISBN version numérique (PDF) : 978-2-89772-135-0

Dépôt légal : 3e trimestre 2018
Bibliothèque et Archives nationales du Québec
Bibliothèque et Archives Canada

Diffusion/distribution au Canada :
Distribution HMH
1815, avenue De Lorimier
Montréal (Québec) H2K 3W6
www.distributionhmh.com

Diffusion/distribution en Europe :
Librairie du Québec/DNM
30, rue Gay-Lussac
75005 Paris, FRANCE
www.librairieduquebec.fr

Imprimé en Chine

quaino5.com

JACK ET LE TEMPS PERDU

STÉPHANIE LAPOINTE
DELPHIE CÔTÉ-LACROIX

« Parfois, je lève la tête et regarde mon frère l'Océan avec amitié : il feint l'infini, mais je sais que lui aussi se heurte partout à ses limites, et voilà pourquoi, sans doute, tout ce tumulte, tout ce fracas. »

Romain Gary, *La promesse de l'aube*

« La folie humaine est souvent féline et rusée. Quand on la croit partie, elle n'est peut-être seulement que métamorphosée en une forme plus subtile. »

Herman Melville, *Moby Dick*

À JULES,
QUI M'A INSPIRÉ
UNE HISTOIRE AVEC un peu D'ACTION.

JACK ÉTAIT UN CAPITAINE DES PLUS ASSIDUS.

CHAQUE MINUTE DE CHAQUE HEURE
DE CHAQUE JOUR DE SA VIE
IL LA PASSAIT

SUR SON BATEAU.

ET POUR ÊTRE ABSOLUMENT
CERTAIN
DE NE JAMAIS AVOIR À DESCENDRE

DE SON BATEAU
(SAUF, BIEN SÛR, EN CAS DE FORCE MAJEURE)

JACK AVAIT MÊME APPRIS À JARDINER.

CAROTTES
NAVETS
POMMES DE TERRE
BETTERAVES,

JACK SAVAIT TOUT FAIRE POUSSER
ET FAISAIT TOUT POUSSER
SUR SON BATEAU
(LÀ OÙ LE SOLEIL FRAPPE).

NON.
JACK NE MANQUAIT JAMAIS DE RIEN.

SAUF, PEUT-ÊTRE

DE COMPAGNIE.

QUAND JACK SE SENTAIT TROP SEUL
(TOUJOURS LE SOIR)
IL FUMAIT LA PIPE
ET IL LISAIT.

ET COMME JACK SE SENTAIT SOUVENT SEUL
(TOUJOURS LE SOIR)
IL FUMAIT LA PIPE
ET IL LISAIT

BEAUCOUP.

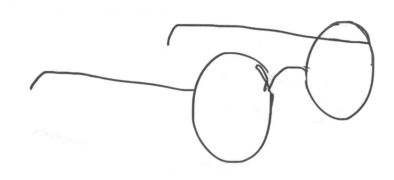

JACK LISAIT À PROPOS
DE TOUT
ET DE

RIEN.

AINSI,
JACK SAVAIT QU'IL EXISTE NEUF TYPES DE RENARDS
ET PAS UN DE PLUS
DANS LE MONDE.

UNE NUIT, IL AVAIT MÊME DÉCLARÉ
DANS L'ANONYMAT LE PLUS TOTAL
QUE SON PRÉFÉRÉ SERAIT

LE RENARD ARCTIQUE.

ALLEZ SAVOIR POURQUOI.

JACK AVAIT AUSSI APPRIS
GRÂCE À UN OUVRAGE ENTIER CONSACRÉ
À TOUT CE QU'IL Y A À SAVOIR
SUR LA CONSTRUCTION D'UNE AUTHENTIQUE
CABANE DE BOIS

QU'EN MOINS DE DEUX MOIS, À DEUX HOMMES
FORTS
C'ÉTAIT POSSIBLE D'Y ARRIVER.

UNE NUIT,
JACK AVAIT MÊME DÉCLARÉ
DANS L'ANONYMAT LE PLUS TOTAL
QUE LUI SAURAIT CONSTRUIRE
SA PROPRE CABANE DE BOIS
SEUL
ET EN MOINS DE SIX SEMAINES.

ALLEZ SAVOIR POURQUOI.

PERSONNE AU MONDE
NE SAVAIT CE QUE LE COEUR DE JACK
PORTAIT.

SI BIEN QUE TOUS PRENAIENT LE MÊME
RACCOURCI

RACONTANT
À QUI VOULAIT L'ENTENDRE

QUE JACK N'ÉTAIT SIMPLEMENT
PAS
UN CAPITAINE DE BATEAU

COMME LES AUTRES.

AU FOND, IL EST VRAI QUE TOUT CE QUI INTÉRESSAIT
LES CAPITAINES DE BATEAU LES PLUS
TYPIQUES

BOUTS DE CIEL
COUCHERS DE SOLEIL
ANCRES DERNIER CRI ET FILETS À GRANDES OU
À PETITES MAILLES

LE LAISSAIT, LUI, COMPLÈTEMENT INDIFFÉRENT.

MÊME LES POISSONS,
TOUTES ESPÈCES CONFONDUES,
NE L'INTÉRESSAIENT PAS.

SI BIEN QUE QUAND L'UN D'ENTRE EUX SE PRENAIT
DANS SES FILETS
JACK LE REMETTAIT À L'EAU
ILLICO.

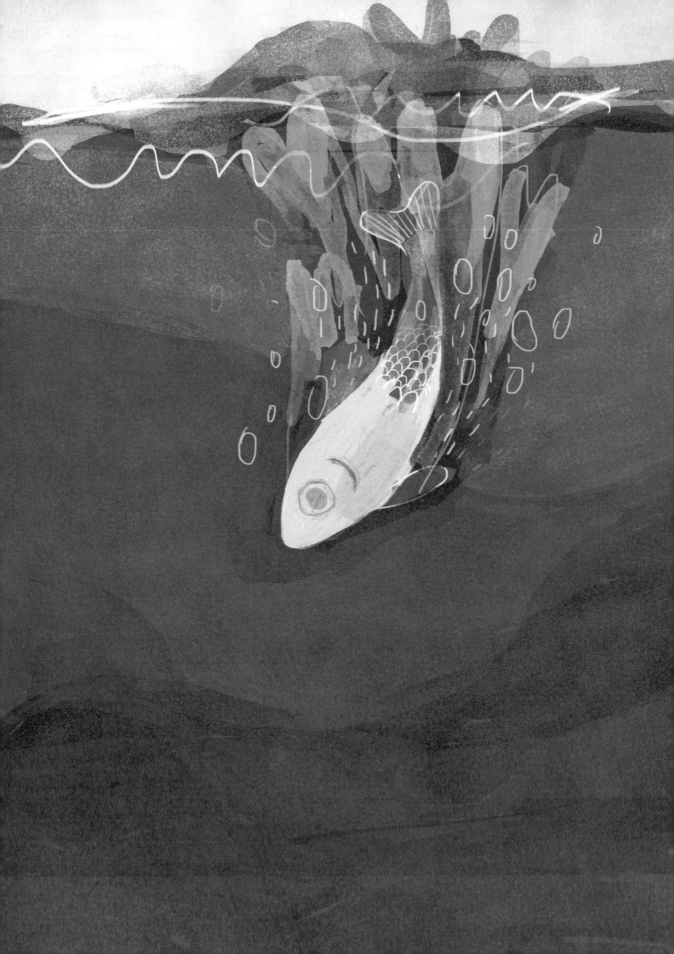

DE MAUVAISES LANGUES
ALLÈRENT MÊME JUSQU'À AVANCER QUE JACK ÉTAIT
UN FOU.

MAIS LES MAUVAISES LANGUES
SE TROMPAIENT.

JACK N'ÉTAIT PAS
FOU.

DISONS SEULEMENT QU'IL ÉTAIT HABITÉ
PAR UNE SEULE ET MÊME
idée.

TROUVER LA BALEINE GRISE
CELLE À LA NAGEOIRE DORSALE
CICATRISÉE.

UNE BALEINE
ÉNORME
ET VIEILLE DE CENT CINQUANTE ANS MINIMUM.

PENDANT LONGTEMPS
TOUT CELA A BIEN FAIT RIRE LES AUTRES PÊCHEURS

QUI N'EN MANQUAIENT PAS UNE
POUR SE PAYER
LA TÊTE DE JACK.

—V'LÀ NOTRE PÊCHEUR!
— UNE AUTRE GROSSE PRISE À L'EAU, MON JACK!
— EH JACK! DIS, TA BALEINE, C'EST POUR QUAND?

HO HO HO,
HA HA HA.

JUSQU'AU JOUR OÙ
IL Y EUT
D'ABONDANTES PLUIES.

SI ABONDANTES QU'ELLES RAVAGÈRENT
MÊME LE PLUS PETIT BOUT DE TERRE

DE CHAQUE JARDIN
DE CHAQUE MAISON
DE CHAQUE VILLAGE

DES ENVIRONS.

LES PÊCHEURS ET LES AUTRES VILLAGEOIS
QUI AVAIENT TRÈS FAIM
DEMANDÈRENT À JACK

(QUI ÉTAIT VENU AU VILLAGE
POUR UNE HISTOIRE D'ANCRE ABÎMÉE)

DE NE PLUS REMETTRE À L'EAU
LES POISSONS QU'IL PÊCHAIT

ET DE NE PLUS GARDER POUR LUI
CES LÉGUMES ET CES FRUITS QUI
MALGRÉ TOUTE CETTE PLUIE
S'ENTÊTAIENT

À POUSSER
ALLEZ SAVOIR POURQUOI
SUR SON BATEAU
(LÀ OÙ LE SOLEIL FRAPPE).

MAIS JACK REFUSA.
SACHANT BIEN QUE
SANS CES FRUITS ET CES LÉGUMES
IL SERAIT CONTRAINT
COMME EUX
DE VIVRE

SUR TERRE

ET NE POURRAIT JAMAIS TROUVER
LA BALEINE GRISE À LA NAGEOIRE DORSALE
CICATRISÉE.

LES VILLAGEOIS
AFFAMÉS
DEVINRENT D'UN SEUL COUP TRÈS EN COLÈRE CONTRE JACK

QUI DUT COURIR
À TOUTE VITESSE
POUR POUVOIR REGAGNER SON BATEAU ET AINSI
ÉVITER LES COUPS QUI VENAIENT À LUI.

BÂTONS
PARAPLUIES
ET MÊME MANCHES À BALAI.

OUI, EN LEVANT L'ANCRE,
JACK COMPRIT QUE JAMAIS PLUS
IL NE POURRAIT REMETTRE PIED À TERRE

ET QUE LA MER
SERAIT DORÉNAVANT
SON UNIQUE

PORT D'ATTACHE.

ON PEUT SE PERDRE EN MER,
SUR TERRE
OU DANS LES AIRS.

ON PEUT SE PERDRE
DANS TROP DE BRUIT

OU
PAS ASSEZ.

ON PEUT SE PERDRE
ABSOLUMENT PARTOUT,
AU FOND.

CHOSE CERTAINE,
C'EST SUR SON BATEAU
QUE JACK S'EST PERDU.

OU DU MOINS,
QU'IL A OUBLIÉ.

OUI, CAR AVANT DE DEVENIR
CE MARIN
TACITURNE ET SOLITAIRE

QUE TOUS EN VINRENT À DÉTESTER

JACK ÉTAIT UN HOMME BON
COMME IL NE S`EN FAIT PLUS TELLEMENT
DE NOS JOURS.

JACK AVAIT,
COMME ON DIT
TOUT

POUR ÊTRE HEUREUX.

UNE FEMME
JUSTE ASSEZ JOLIE

ET UN FILS
QUI ÉTAIT SA COPIE CONFORME (BARBE EN MOINS)
ET QU`IL AIMAIT PLUS

QUE SA PROPRE VIE,

JACK EMMENAIT JULOS
ABSOLUMENT PARTOUT
OÙ IL ALLAIT.

OUI, PARTOUT.

JUSQU'À CE MATIN D'AUTOMNE
OÙ TOUT
CHAVIRA.

C'ÉTAIT À L'AUBE.

LE BATEAU DE JACK
BAIGNAIT ENCORE
DANS UN DEMI-BROUILLARD

QUAND IL OUVRIT LES YEUX
ET COMPRIT
QUE JULOS AVAIT

DISPARU.

IMPOSSIBLE, DISAIT JACK.
ON NE DISPARAÎT PAS COMME ÇA
PAF ET PUIS C'EST TOUT
ET ENCORE MOINS

SUR UN BATEAU.

À L'INSTANT PRÉCIS OÙ IL SONGEAIT À CELA
JACK SENTIT SON NAVIRE
SE SOULEVER

SOUS SES PIEDS.

SANS POUVOIR
DIRE OUI DIRE NON
FAIRE
QUOI QUE CE SOIT

JACK FUT PROPULSÉ
HAUT DANS LES AIRS

À VINGT MÈTRES
MINIMUM.

C'EST LÀ
ALORS QU'IL VOLAIT POUR LA PREMIÈRE
ET DERNIÈRE FOIS DE SA VIE

SANS TROP SAVOIR OÙ ET QUAND IL RETOMBERAIT

QUE JACK APERÇUT
POUR LA PREMIÈRE ET (QUI SAIT)
DERNIÈRE FOIS DE SA VIE

LA BALEINE GRISE À LA NAGEOIRE DORSALE
CICATRISÉE.

MALGRÉ LA PEUR
LE VERTIGE
LA TROUILLE QUI EMBROUILLAIT TOUT

JACK ENTREVIT
À TRAVERS LES FANONS DE LA BÊTE

SON FILS.

SON
JULOS
DANS LA GUEULE D'UNE BALEINE.

JACK NE SENTIT PAS LE FROID
NI LA DOULEUR
LE GAGNER
AU MOMENT OÙ SON CORPS ALLA PERCUTER
L'EAU
ENCORE AGITÉE PAR LE PASSAGE DE LA BÊTE.

ET TANDIS QU'ELLE S'ÉLOIGNAIT
IL SE MIT À NAGER
ET IL

CRIA.

RAMÈNE-MOI MON FILS! DE QUEL DROIT!
JE TE RETROUVERAI!

MAIS ELLE NE LE LUI RAMENA

PAS.

AINSI
JACK PASSA SEIZE JOURS ET SEIZE NUITS
LÀ
DEBOUT
SUR SON BATEAU

CHERCHANT
VAINEMENT
ET SONGEANT

À SA FEMME

SE DEMANDANT SI LA CHOSE À FAIRE ÉTAIT
DE RENTRER
POUR TOUT LUI RACONTER
OU DE RESTER EN MER
ET SE TAIRE.

AU BOUT DE LA SEIZIÈME NUIT
JACK DÉCIDA
QU'IL NE RENTRERAIT

PAS.

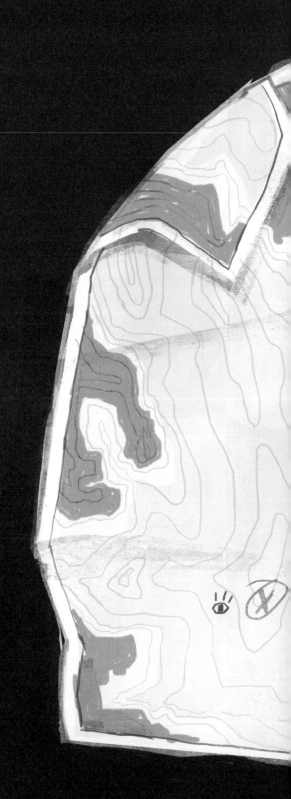

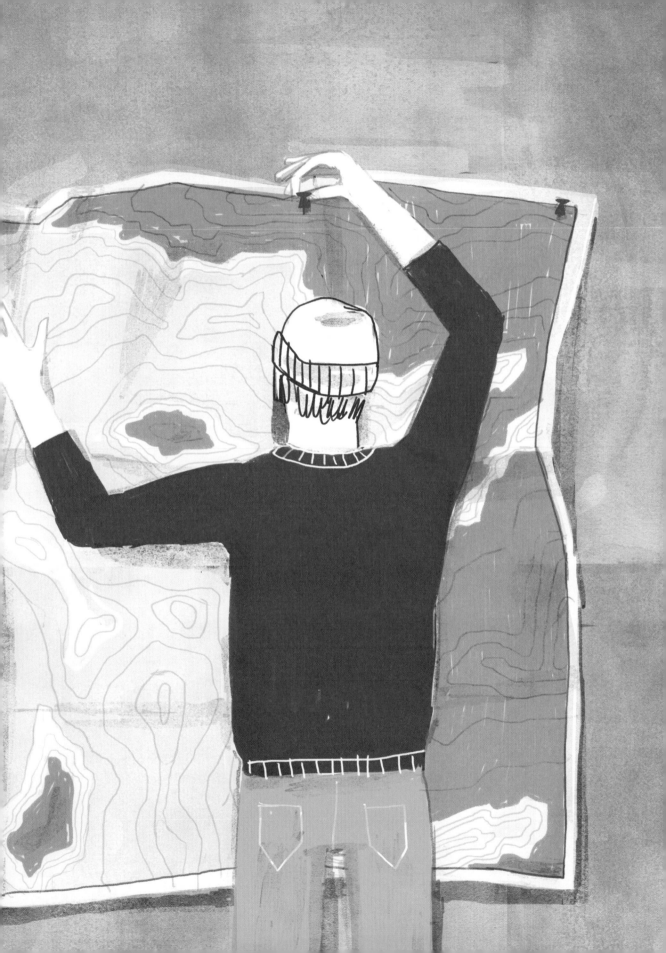

OU DU MOINS
PAS SANS JULOS.

C'EST AINSI QUE
DANS LE SILENCE LE PLUS TOTAL
LE COEUR DE CELLE QU'IL AIMAIT SE

BRISA.

BEAUCOUP D'ÉTÉS DE PRINTEMPS D'AUTOMNES
ET BIEN SÛR D'HIVERS
PASSÈRENT

AVANT QUE JACK
NE REVOIE
LA BALEINE GRISE À LA NAGEOIRE DORSALE
CICATRISÉE.

TANT DE HARGNE, DE HAINE ET DE
VIDE

POUR UN MÊME
COEUR.

CELA
AURAIT BRISÉ

N'IMPORTE LEQUEL
D'ENTRE NOUS.

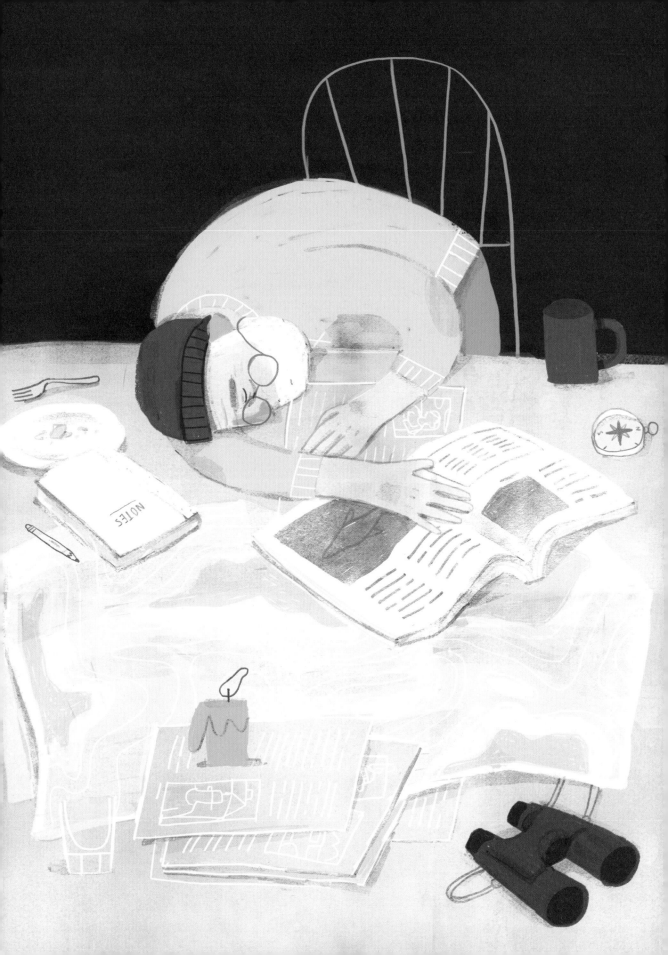

MAIS PAS JACK QUI, LUI,
SE CONTENTA DE
CHANGER.

OUI, JACK CHANGEA,
CHANGEA TANT QUE CES ÉTÉS
CES PRINTEMPS CES AUTOMNES
ET BIEN SÛR CES HIVERS
FIRENT DE LUI

UN AUTRE
JACK.

GRIS
MÉCHANT
SOMBRE

ET LAID.

MÉCONNAISSABLE.

TOUJOURS EST-IL QUE
PAR UN SOIR QUI N'AVAIT RIEN DE BIEN DIFFÉRENT
DES AUTRES SOIRS

IL L'APERÇUT
QUI RÔDAIT
AUTOUR DE SON BATEAU.

ELLE, OUI,
LA BALEINE GRISE À LA NAGEOIRE DORSALE
CICATRISÉE.

INUTILE DE DIRE QUE JACK N'HÉSITA PAS UNE SECONDE
AVANT DE SE JETER DANS LA GUEULE DE LA BÊTE.

SI BIEN
QU'IL SE RETROUVA
COMME ÇA PAF TOUT AU FOND
DE SON VENTRE.

OUI DU VENTRE DE CELLE QU'IL AVAIT TANT
CHERCHÉE.

JACK
UNE FOIS TOUT EN BAS
SE RELEVA
ET VIT QUE JULOS ÉTAIT LÀ.

SEUL, SALE, TRISTE
MAIS BIEN
VIVANT.

– QUI ÊTES-VOUS, QUE FAITES-VOUS ICI ?
– MAIS C'EST MOI, TON PÈRE ! C'EST MOI, JACK !

JULOS SE LEVA, S'APPROCHA
ET POSA LES DOIGTS
SUR CHACUN DES TRAITS QUI COMPOSAIENT
LE VISAGE DE JACK.

– IMPOSSIBLE. MON PÈRE N'A PAS VOS YEUX,
  VOS YEUX TRISTES, NI CE SOURIRE À L'ENVERS.
  MON PÈRE EST UN HOMME... UN HOMME BON.
  PARTEZ SVP!

SANS POUVOIR DIRE OUI DIRE NON
FAIRE
QUOI QUE CE SOIT

JACK COMPRIT QU'IL VENAIT D'ÊTRE CHASSÉ
DU VENTRE DE LA BALEINE.

POURTANT
IL NE BOUGEA
PAS.

À SON TOUR
JACK POSA SES DOIGTS
SUR CHACUN DES TRAITS QUI COMPOSAIENT
SON VISAGE.

— CE VISAGE,
   À QUI APPARTIENT CE VISAGE?
— MAIS IL EST À VOUS, MONSIEUR.
— ET CETTE PEAU, RÊCHE, RUDE,
   À QUI APPARTIENT CETTE PEAU?
— MAIS ELLE EST À VOUS, MONSIEUR.

JACK SE LEVA,
IL RECULA, RECULA,
RECULA ENCORE.

S'IL AVAIT PU DISPARAÎTRE AU LOIN ET POUR TOUJOURS
JACK L'AURAIT FAIT.

MAIS ON NE QUITTE PAS LE VENTRE D'UNE BALEINE
COMME ÇA PAF
ET PUIS C'EST TOUT.

ALORS JACK SE CONTENTA DE S'ÉLOIGNER,
NE LAISSANT
DERRIÈRE LUI

QUE LE SILLAGE
D'UNE TROP GROSSE
PEINE

QUE
LE FRACAS
D'UN COEUR
QUI BAISSE LES BRAS

ET ALORS

(ALLEZ SAVOIR POURQUOI)
JULOS CRIA.

PERSONNE NE SAIT
COMMENT
NI EN COMBIEN DE TEMPS
JACK ET JULOS RÉUSSIRENT
À SORTIR

DE L'ANTRE DE LA BALEINE.

UNE CHOSE EST CERTAINE
JACK AVAIT PERDU TROP DE
TEMPS.

ET RIEN
NE SERAIT PLUS JAMAIS
COMME AVANT.

IL LE COMPRIT
AU MOMENT OÙ IL AMARRA SON BATEAU
ET DEMANDA À TOUS CEUX QU'IL CROISA
SUR SON CHEMIN

OÙ POUVAIT BIEN ÊTRE CELLE
QU'IL AVAIT TANT
AIMÉE.

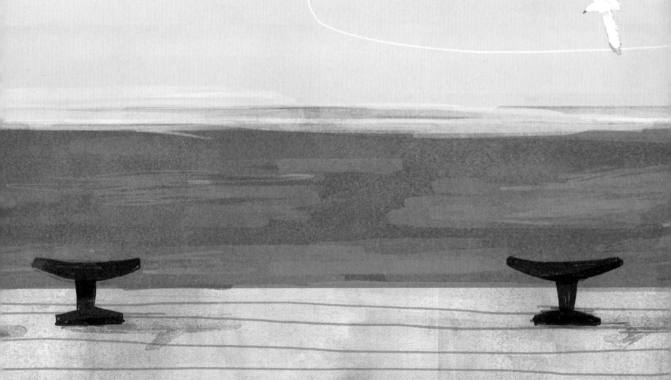

CES DERNIERS RÉPONDIRENT TOUS
EXACTEMENT LA MÊME
CHOSE

AVEC EXACTEMENT LES MÊMES
YEUX
CREUX

ET EXACTEMENT LES MÊMES
MOTS
GRIS.

LA PAUVRE
AU COEUR
BRISÉ
C'EST SUR L'EAU QU'ELLE S'EN EST
ALLÉE
POUR VOUS TROUVER

JURANT
DE NE JAMAIS REMETTRE PIED À TERRE

SANS VOUS
À SES CÔTÉS
POUR LE FAIRE.